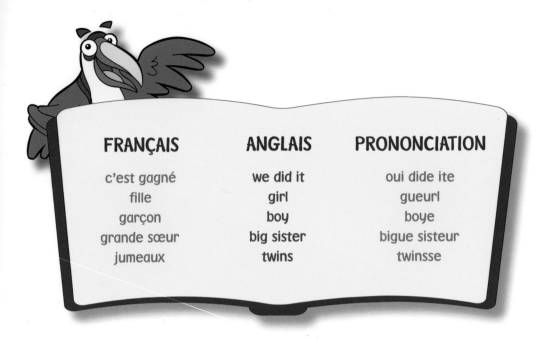

FRANÇAIS	ANGLAIS	PRONONCIATION
c'est gagné	we did it	oui dide ite
fille	girl	gueurl
garçon	boy	boye
grande sœur	big sister	bigue sisteur
jumeaux	twins	twinsse

D'après la série *Dora l'Exploratrice* réalisée par Eric Weiner.

© 2015 Viacom International Inc. Tous droits réservés. Nickelodeon, Nickelodeon Junior, *Dora l'Exploratrice* et tous les autres titres, logo et personnages qui y sont associés sont des marques de commerce Viacom International Inc.

Traduction française : © Philippe Mestiri

Publication originale :
© Éditions Albin Michel, S.A., 2015
Éditions Albin Michel
22, rue Huyghens, 75014 Paris
www.albin-michel.fr

Directeur de collection : Lise Boëll
Éditorial : Estelle Cerutti et Marie-Céline Moulhiac
Direction artistique : Luc Doligez

ISBN : 978-2-226-31428-4
Loi n°49-956 du 16 juillet 1949 sur les publications destinées à la jeunesse.
Achevé d'imprimer en Italie
Dépôt légal : février 2015

DORA
L'EXPLORATRICE

Dora devient grande sœur

Albin Michel

Aujourd'hui, Dora a
une très grande nouvelle
à annoncer à son ami
Babouche.
- Veux-tu l'appeler avec moi ?
Alors, dis : « Babouche ! »
Le vois-tu ? Oui, il est dans
l'arbre !

- Babouche ! Quelqu'un va rejoindre ma famille. Il dormira dans un berceau, boira au biberon et portera des couches.

Waouh ! La maman de Dora attend un bébé. Babouche est sûr que Dora sera une super grande sœur.

Dora et Babouche ont hâte de voir le bébé. La Carte leur explique que pour se rendre à la Maison de Dora, il faut traverser la Forêt qui fait peur puis passer par la Ferme aux Noisettes.

MAISON DE DORA

FERME AUX NOISETTES

FORÊT QUI FAIT PEUR

En chemin, Dora et Babouche aperçoivent leur amie Véra.
- Véra ! Je vais avoir un petit frère ou une petite sœur.
Véra félicite Dora et propose de la guider dans la Forêt qui fait peur.

- Écoutons bien Véra !
Ici, il faut faire attention aux
serpents et aux crocodiles.
Quel chemin devons-nous
prendre ? Oui, celui avec
la grenouille !

Dora et Babouche ont traversé la Forêt qui fait peur.

– Regarde ! Voici notre ami Totor. Totor, je vais être grande sœur ! Peux-tu nous conduire jusqu'à la Ferme aux Noisettes ?

Totor aimerait bien conduire
ses amis mais il n'a pas fini
de monter les roues de
sa voiture.
– Aidons-le à les visser.
Tends les mains devant
toi et tourne-les.
Oui, la voiture est prête !

Ça y est, Totor a conduit
Dora et Babouche jusqu'à
la Ferme aux Noisettes.
- Notre ami Tico fait
la circulation. De quelle
couleur est son panneau ?
Oui, il est vert. On peut
traverser.

Dora et Babouche sont presque arrivés à la **Maison de Dora**.
- Vite, Babouche ! J'ai hâte de savoir si le bébé est une petite fille, **girl**, ou un petit garçon, **boy**.

Dès qu'ils poussent la porte, toute la famille de Dora est là pour les accueillir.

- Papa, est-ce que le bébé est arrivé ? Est-ce que je suis grande sœur, **big sister**, maintenant ?

Dora et Babouche
s'approchent doucement
du berceau et...
- Oh ! Ce sont des jumeaux,
twins. Il y a un bébé garçon
et un bébé fille. J'ai un petit
frère et une petite sœur !

Dora est la plus heureuse
des grandes sœurs.
- Les bébés sont fatigués.
Aide-moi à les bercer ! Oui,
comme ça ! Chut... Ils se sont
endormis. Merci de ton aide.

C'est gagné !
We did it!

Je grandis avec Dora

Le bébé de la maman de Dora est un garçon ou une fille ?

- Oui, la maman de Dora a eu des jumeaux, un garçon et une fille.

C'est gagné ! *We did it!*